SOKAL

UNE ENQUÊTE DE L'INSPECTEUR CANARDO

L'ombre
de la bête

Avec la collaboration de
Pascal Regnauld

CASTERMAN Ligne Rouge

www.casterman.com

ISBN 2-203-33558-0
© Casterman 2006

Imprimé en France par Pollina s.a., Luçon. Dépôt légal : août 2006 ; D. 2006/0053/143.
N°L20601

PSCHiii!

?

GRAND CONCOURS KLUUTCH

GRATTEZ ICI !

- HO ! POLO !
AVANT Y AVAIT PAS ÇA SUR LA BIÈRE !

- C'EST UN CONCOURS DE BIÈRE
OU QUOI ??
MONTRE VOIR !...

GRAND CONCOURS KLUUTCH

GRATTEZ ICI !

GAGNEZ DE NOMBREUX LOTS MAGNIFIQUES

- RENDS-MOI MA BIÈRE !!

- BEN, GRATTE, AD !...

GRAAT... GRAAT...

- V...VOUS A... VEZ... GA...
GA... GAGNÉ !...

VOUS AVEZ GAGNÉ !!

GAGNEZ DE NOMBREUX LOTS MAGNIFIQUES

- J'AI GAGNÉ POLO !!!

QUOI ??? T'AS GAGNÉ QUOI, AD ?...
LAISSE-MOI LIRE ?...

- ... C'EST MARQUÉ "SI VOUS AVEZ
GRATTÉ DEUX CANNETTES...

- ...VOUS AVEZ GAGNÉ UNE CROISIÈRE
EN CAR POUR VISITER LES USINES
KLUUTCH À BRUXELLES !"

- UNE CROISIÈRE ???
COMME DANS LA CROISIÈRE S'AMUSE ?

- OUI, MAIS EN CAR !...

15 JOURS PLUS TARD...

À CETTE SAISON, J'AURAIS PRÉFÉRÉ LE SOLEIL...

SANS DOUTE BICHETTE, SANS DOUTE !...

MA SŒUR A RAMENÉ DES BOÎTES EN THUYA DE MARRAKECH ! ELLE A PAYÉ ÇA TROIS FOIS RIEN.

JE N'AI JAMAIS VISITÉ BRUXELLES.

UN SERVICE À THÉ À LA MENTHE AUSSI. TROIS FOIS RIEN. TU ME DIRAS, C'EST RÉGIS QUI DISCUTE LES PRIX. IL S'EN LAISSE PAS COMPTER, TU L'CONNAIS.

TON BEAU-FRÈRE VEND DES BAGNOLES TOUTE L'ANNÉE. ÇA LUI DONNE SANS DOUTE UN CERTAIN SAVOIR-FAIRE POUR MARCHANDER DES BABOUCHES.

MONSIEUR ET MADAME GARENNI.

GARENNI BIEN SÛR. TOUT À FAIT. JE VOUS EN PRIE, EN VOITURE, MESSIEURS DAMES !

02

4

5

NOUS SOMMES LES PREMIERS... LES ORGANISATEURS DOIVENT IMAGINER QU'ON N'A QUE ÇA À FAIRE...

... QU'ON ATTEND APRÈS LEUR CADEAU BONUS POUR SE DONNER DU BON TEMPS...

...ET CE CHAUFFEUR QUI NE PREND MÊME PAS LA PEINE DE SORTIR DE SON CAR POUR S'EN TIRER UNE!

... SI ÇA SE TROUVE, EN PLUS, IL BOIT...

JE N'AI JAMAIS VISITÉ D'USINE DE BIÈRE... ÇA DOIT ÊTRE FORMIDA-BLEMENT INSTRUCTIF... LA TRANSFORMATION CHIMIQUE DU HOUBLON ET DE L'ORGE SOUS L'ACTION DES LEVURES... AAH! IL SE DÉGAGE DE CE PROSPECTUS UN JE-NE-SAIS-QUOI D'INEFFABLE...

MON PAUV' *BICHOUNET*...À TON ÂGE... L'INSTRUCTIF NE T'ÉLÈVERA PLUS... SI J'AVAIS ÉPOUSÉ ALBERT EINSTEIN, JE M'EN SERAIS RENDU COMPTE...

...ET EN PLUS IL Y A UNE DÉGUSTATION DE LA GAMME DES PRODUITS *KLUUTCH* À LA FIN DE LA VISITE...

MONSIEUR ET MADAME CORBAK... ...OUI, BIEN SÛR... MONTEZ, JE VOUS EN PRIE.

C'EST BON LÀ! À L'ARRIÈRE, J'AI DES NAUSÉES, *DIMITRI* ...

ON N'EST PAS LES PREMIERS, C'EST DÉJÀ ÇA!

BLLLL.. BLLLE..

IL PARLE DE NOUS, *BICHOUNET*!...

04

... ET QUOI DE PLUS NATUREL, BICHETTE ?...

... NE SOMMES-NOUS PAS LE SEUL SUJET DE DISCUSSION VALABLE QUAND ON PÉNÈTRE DANS UN CAR OÙ NOUS CONSTITUONS LA SEULE PRÉSENCE VIVANTE ?

TU AS PRIS LE MOTILEX ?...

IL EST DANS LA PETITE SACOCHE... AVEC LES AUTRES MÉDICAMENTS, OLGA...

MONSIEUR ET MADAME GIBOLET, MONTEZ, JE VOUS EN PRIE...

TU ES BIEN TROP TOLÉRANT AVEC LE MONDE, BICHOUNET !... JE NE PARVIENS PAS À COMPRENDRE COMMENT TU AS PU FAIRE LA CARRIÈRE QUE TU AS FAITE DANS LA POLICE !...

MESSIEURS DAMES, BONJOUR !...

NOUS, C'EST GIBOLET GINETTE ET GIBOLET ERNEST, D'ÉPERNAY DANS LA MARNE...

ALLEZ EN VOITURE GINETTE, ON VA S'POSER LÀ, TIENS...

HOP!

CLAK!

MON DIEU, CES GENS-LÀ EXISTENT ENCORE...

HO! HO! HO!

HI! HI!

OUI... EN EFFET, OLGA !...

05.

MONSIEUR *CLAPOT*
ET MADAME,
JE SUPPOSE...

OUI, C'EST ÇA...
ENFIN, EUH, MADAME
A EU UN EMPÊCHEMENT...
UN DRAME FAMILIAL
DE DERNIÈRE MINUTE,
VOUS COMPRENEZ...
ALORS C'EST
MADEMOISELLE QUI
LA REMPLACE...

ALLONS, TAIS-TOI,
BRUNO...
... MONTE !...

MONSIEUR ET
MADAME *DUCRÔTOIT*
ET LEURS ENFANTS...
... C'EST BIEN ÇA ?...

C'EST NOTRE BENJAMIN QUI A
DÉCOUPÉ LE PETIT COUPON
GAGNANT SUR LA BIÈRE DE SON
PÈRE... NOUS AVONS PAYÉ UN
SUPPLÉMENT POUR QUE TOUTE LA
FAMILLE SOIT DE CE VOYAGE
EN BELGIQUE...

C'EST EN ORDRE,
MONTEZ !
JE VOUS EN PRIE !...

UNE DEMI-HEURE PLUS TARD...

TU VAS VOIR QUE CE
CAR VA ÊTRE PLEIN
À CRAQUER,
DIMITRI...

J'EN AI PEUR,
EN EFFET...

IL EN MANQUE UN
ET ON PEUT Y ALLER,
ALBERT...

JE SUIS LÀ !...

?

MONSIEUR *ADOLPHE TINCRÉ*...
BIEN SÛR...
NOUS VOUS ATTENDIONS...
VOUS ÊTES
ACCOMPAGNÉ ?

ALLEZ, ROULE ALBERT !!!

APRÈS UNE LÉGÈRE COLLATION...

...VOUS SEREZ INVITÉS À VISITER L'UNITÉ ULTRA-MODERNE DE PRODUCTION DES DIFFÉRENTES SORTES DE BIÈRE KLUUTCH...

AH, MAIS VOILÀ QUI EST PAS-SION-NANT, N'EST-CE PAS, JEAN-BRICE ?

TOUT A FAIT, GENEVIÈVE !...

...CETTE VISITE SERA SUIVIE D'UNE DÉGUSTATION DE NOS PRODUITS EN COMPAGNIE DE NOTRE BIÈREOLOGUE EN CHEF QUI SE FERA UN DEVOIR DE VOUS FAIRE DÉCOUVRIR LES SUBTILES NUANCES DE NOS DIFFÉRENTS PRODUITS !...

AAAAAHHH!

VIENS T'ASSEOIR, CHARLES... TU IMPORTUNES CE MONSIEUR !!!

APRÈS VOTRE INSTALLATION À L'HÔTEL OÙ NOUS VOUS LAISSERONS UN MOMENT DE DÉTENTE BIEN MÉRITÉ, VOUS SEREZ CONDUITS VERS 20 HEURES AUX BRUSSEL'SPLAZALIDO OÙ VOUS SERA PROPOSÉ, POUR CLÔTURER CETTE JOURNÉE QUI S'ANNONCE SPLENDIDE, UN SOMPTUEUX DÎNER-SPECTACLE ...

10.

CANARDO, VOUS NE DEVINEREZ JAMAIS OÙ JE ME TROUVE !...

GARENNI, JE SUIS EN VACANCES...

...LE CAR DU CONCOURS *KLUUTCH*, ÇA VOUS DIT QUELQUE CHOSE?

... MAIS, VOUS N'AVEZ DONC VRAIMENT RIEN À FOUTRE DANS LA POLICE...

JE SAVAIS QUE VOUS SERIEZ JALOUX, *CANARDO*... LA *KLUUTCH*, C'EST QUAND MÊME VOTRE BIÈRE PRÉFÉRÉE, SI JE NE M'ABUSE !...

HO ! HO ! IL EST VERT, BICHETTE !!!

LES USINES DE BIÈRE, SOUS LA PLUIE DU NORD... J'EN RÊVE PAS, *GARENNI*...VOUS POUVEZ COMPRENDRE ÇA, TOUT DE MÊME...

RESSERS-MOI UNE PIÑA COLADA, POUPÉE...

...

POURQUOI IL M'A APPELÉ POUPÉE ?

CLICK !

TSSSS... RASSURE-TOI, *BICHOUNET*... IL PARLAIT À QUELQU'UN D'AUTRE...

ZZZ !...

...RRZZZ !

RONFL!

BIENVENUE EN BELGIQUE

MONSIEUR !... IL Y A LE... ENFIN, IL SE LÈVE...

...?

...

FAUT QU'J'AILLE PISSER...

HEU, PAS DE PROBLÈME, CHER AMI... ON VA S'ARRÊTER À LA PREMIÈRE AIRE DE REPOS... C... C'EST PRÉVU...

...

... VOUS POUVEZ VOUS RASSEOIR... CE NE SERA PAS LONG !...

...

PAN!

ZZZ

...?...

...

13.

15

16

NOM DE DIEU ! NOM DE DIEU !!!

SURTOUT NE REGARDEZ PAS, LES ENFANTS...

...C'EST LE GROS MONSIEUR QUI S'EST FÂCHÉ !...

IL FAUT TÉLÉPHONER À LA POLICE !... VITE !...

NON ! TIRONS-NOUS D'ICI, GERMAINE !

PSSSS...

LAISSEZ-MOI PASSER, VOYONS !!!

LES ENFANTS... LES ENFANTS D'ABORD, VOYONS !

PAULETTE, BOUGE-TOI LE CUL !...

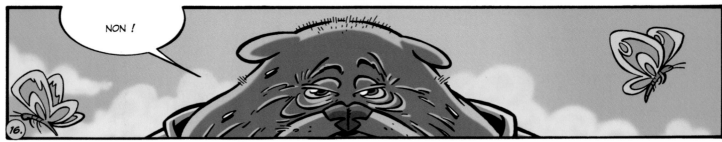

NON !

16.

À 5000 KILOMÈTRES DE LÀ...

DIGLEDU ! DIGLEDU !

ALLÔ ?

ALLÔ ? QUI EST À L'APPAREIL ? JE NE VOUS ENTENDS PAS... PARLEZ PLUS FORT, NOM DE DIEU !

JE NE PEUX PAS CANARDO... C'EST UN PEU DÉLICAT À EXPLIQUER...

GARENNI ?

MON CHER CANARDO, CE SERAIT TRÈS SYMPA D'ÉCOURTER UN PEU VOS VACANCES PARCE QUE , VOYEZ-VOUS, J'AURAIS COMME UN PETIT PROBLÈME...

QUOI, VOUS PLAISANTEZ J'ESPÈRE, GARENNI...

GARENNI ?

?

NON... JE...

CRAAK !

TSSSS...

CLACK !

COUIC !

TE VOILÀ BIEN AVANCÉ MON PAUVRE GARÇON...

...ET PUIS, IL AURAIT ÉTÉ PRÉFÉRABLE QUE TU AVERTISSES LE COMMISSARIAT LE PLUS PROCHE...

C'EST DÉLICAT, COMME SITUATION... ET PUIS NOUS SOMMES EN BELGIQUE... JE N'AI PAS LE NUMÉRO DE L'ANTIGANG BELGE EN MÉMOIRE... DÉSOLÉ, BICHETTE...

...IL EST REPARTI S'ASSEOIR COMME SI DE RIEN N'ÉTAIT... JE NE SUIS PAS SÛR QUE CE GARÇON AIT BIEN TOUTE SA TÊTE...

POURQUOI ÇA NOUS ARRIVE À NOUS, DIMITRI ?... NOUS N'AVONS PAS MÉRITÉ ÇA...

GLUPS !

GLUP !

MMM... JE NE SAIS PAS, OLGA...

...NOUS SOMMES DES GENS QUI N'ONT PAS DE CHANCE, VOILÀ TOUT...

DONNE-MOI UN TRANAX, DIMITRI...

QU'EST-CE QU'IL ATTEND COMME ÇA ?

SI TU VEUX MON AVIS, GINETTE, CE GARS-LÀ IL EST, COMME QUI DIRAIT, PAS FINI...

...ET DU COUP, IL N'A PAS L'AIR D'AVOIR BEAUCOUP DE SUITE DANS LES IDÉES...

JE... JE N'AIME PAS SON REGARD, ROGER... IL FAUT FAIRE QUELQUE CHOSE !!!

...CH... CHIERIE DE MERDE !...

...BLLBL

HÉ !... IL VA FAIRE PÉTER LE BUS ET PUIS NOUS AVEC...

...POUR UNE BONNE CAUSE CONNUE DE LUI SEUL...

CES GARS-LÀ, ILS CROIENT AU PARADIS... TU SAIS AVEC LES QUARANTE VIERGES QUI LES ATTENDENT ET TOUT LE TRALALA...

IL N'AS PAS UNE TÊTE DE TERRORISTE... IL A UNE TÊTE D'ABRUTI...

T'AS PAS TORT, PAULETTE... MAIS UN CON, ÇA PEUT-ÊTRE DANGEREUX AUSSI !

CHARLES !...

...REVIENS ICI TÖUT DE SUITE... JE TE DÉFENDS...

...

BOUM !...

GRRÔÔÔL !

MANGER...

...POUR TOUT LE MONDE...

SNIF ! MAIS NOUS N'AVONS RIEN PRÉVU, MONSIEUR ...

...CE VOYAGE DEVAIT ÊTRE TELLEMENT COURT...

TU VAS ACHETER DEHORS... ET PUIS TU REVIENS...

19.

10 MINUTES PLUS TARD...

DRIIING.

OUAIS ! COMMISSARIAT DES AUTOROUTES DU ROYAUME, J'ÉCOUTE...

QUOI ! GODFERDOM !

EH BEN, ÇA N'A PAS TARDÉ : AU LIEU DE NOUS RAMENER DE LA BOUFFE, LA PETITE HÔTESSE A AVERTI LES FLICS !

VOUS VOYEZ QUELQUE CHOSE CAPORAL ?

NON CHEF, DÉSOLÉ !

ÇA VA ÉNERVER LE SUMO. NOTRE COMPTE EST BON...

REGARDEZ MIEUX CAPORAL !

CLING !

AH, ÇA Y EST ! UNE VITRE VIENT DE PÉTER ! J'APERÇOIS UN TYPE... UN TRÈS GROS TYPE !

POURSUIVEZ CAPORAL !

... IL BRANDIT UN REVOLVER CHEF !...

C'EST BIEN, MAIS ENCORE...

IL SEMBLE S'APPRÊTER À TIRER !

GODFERDOM !!

... DANS QUELLE DIRECTION CAPORAL !...

BANG !

HHAAA !!!

CAPORAL !

23

J'AI FAIM !!!

BANG! BANG! BANG!

SERGENT, JE VOUS CHARGE DE SUSTENTER CE MONSTRE... APPORTEZ-LUI 70 KILOS DE CHEESEBURGERS ! ÇA LE CALMERA...

NON, CHEF !

BANG! BANG! BANG!

COMMENT ÇA NON ??

DÈS QUE J'AURAI LIVRÉ IL VA ME TUER COMME LE CAPORAL, C'EST SÛR !!!

MAIS, C'EST UN ORDRE, SERGENT !!!

JE VOUS FAIS PARVENIR UN CERTIFICAT MÉDICAL DANS LES DIX MINUTES, CHEF !

ÇA VA VOUS COÛTER TRÉS CHER, SERGENT !!...

MON BEAU-FRÈRE ME PROPOSE UNE PLACE DE VIGILE AU FRANPRIX DE SON PATELIN !...

JE VAIS Y ALLER, MOI !

?

EXCUSEZ MA TENUE J'AI DÛ FAIRE VITE !!!

D'OÙ Y SORT CELUI-LÀ !...

22.

INSPECTEUR CANARDO !

?

J'SUIS DE LA MAISON !

J'AI REÇU UN APPEL DE DÉTRESSE SUR MON LIEU DE VACANCES...

...

... J'AI SAUTÉ DANS LE PREMIER AVION ET ME VOILÀ...

JUSTE LE TEMPS DE ME CHANGER ET JE SUIS À VOUS !

NON !... FICHEZ-MOI LE CAMP ! JE NE VEUX PAS DE TOURISTES...

CHEF, CE GARS-LÀ VEUT ALLER AU CASSE-PIPE ! C'EST À PRENDRE EN CONSIDÉRATION...

J'AI UN VIEIL AMI DANS LE BUS...

NON !

C'EST IMPORTANT LES AMIS, CHEF !

BIP... BIP... BIP...

MMM... JE BRÛLE. JE BRÛLE...

BIP... BIP...

QU'EST-CE ENCORE QUE CET OISEAU-LÀ ?

?

?

BIP... BIP...

23.

DITES-DONC, VOUS ! OÙ VOUS CROYEZ-VOUS ?

BiiiPP !

VOUS ÊTES EN TRAIN D'ÉVOLUER DANS UN PÉRIMÈTRE SÉCURISÉ ! ON N'Y ENTRE PAS COMME DANS UN MOULIN !

BiiiiiiiPPP !!

QU'EST-CE QUE C'EST QUE C'T'ENGIN ?

JE VOUS PRÉVIENS: JE N'ACCEPTE PAS LES INTERVIEWS !!!

VOTRE CLIENT, C'EST ADOLPHE TINCRÉ, 25 ANS, CÉLIBATAIRE... PLUSIEURS FOIS CONDAMNÉ POUR VIOL ET VOL AGGRAVÉ...

LES DEUX, AGGRAVÉS ?

LE VIOL, C'EST TOUJOURS UN PEU AGGRAVÉ, JEUNE HOMME...

J'VOUS DEMANDE PARDON !

IL A DÉPASSÉ LE PÉRIMÈTRE DE LIBERTÉ QUI LUI A ÉTÉ ATTRIBUÉ PAR LA COMMISSION DES LIBERTÉS SUR SURVEILLANCE ÉLECTRONIQUE...

DÈS QU'IL QUITTE LE PÉRIMÈTRE DE LA CITÉ DES LILAS FLEURIS OÙ IL EST ASSIGNÉ À RÉSIDENCE, CE MACHIN SONNE... ON LUI A GREFFÉ UNE PUCE DANS LE GRAS DU BIDE, VOYEZ-VOUS ?

BiiiiiiPPP !!!

24.

JE SUIS LE PROFESSEUR EMMANUEL AFFECTÉ AU MINISTÈRE DE LA JUSTICE... JE SUIS CHARGÉ DU SUIVI PSYCHOLOGIQUE DE CE CRÉTIN DÉCÉRÉBRÉ...

COMMISSAIRE VOLENT, ENCHANTÉ !

... VOTRE POULAIN EST EN TRAIN DE FAIRE UN FORT CHABROL DANS LE CAR, LÀ-BAS...

IL VEUT QUOI ?

...DES MACDOS... IL A FAIM...

SI VOUS LE GAVEZ, APRÈS IL PEUT S'ASSOUPIR GENTIMENT...

...SI VOUS L'AFFAMEZ, IL VA DEVENIR TRÈS MÉCHANT !...

ALORS ON VA LE GAVER !...

...JUSTEMENT CE VACANCIER SE PROPOSE DE FAIRE LA LIVRAISON À LA PLACE DU SERGENT, QUI SOUFFRE D'UNE INDISPOSITION PASSAGÈRE...

SERGENT, RENDEZ-VOUS UTILE MALGRÉ TOUT : ALLEZ DONC ME CHERCHER DES BURGERS ET DES PARTS DE FRITES EN QUANTITÉ...

CHEF, ÇA NE VOUS DÉRANGE PAS SI J'PRENDS UN CHEESE, UNE FRITE ET UNE BIÈRE POUR MOI SUR LE MÊME COMPTE?

MAIS VOYONS C'EST NATUREL, SERGENT... ET PROFITEZ-EN POUR ME RAMENER DES NUGGETS AVEC DE LA SAUCE CHINOISE...

GLOU GLOU...

GLOU...

GLOU GLOU...

GARGOUIL GARGOUIL !

GLOU...

25.

GRRR...

JE NE SUIS PAS ARMÉ... TOUT VA BIEN !...

...

BON SANG, CANARDO !... IL EST VENU...

AHH, SNIF !... LE BEL ET BON CAMARADE !!!...

LA BELLE AFFAIRE, CE POIVROT S'EST MIS DANS LE MÊME BAIN QUE NOUS... NOUS SOMMES BIEN AVANCÉS...

IL A DES PLANS, BICHETTE... J'EN SUIS SÛR... UN PLAN A ET UN PLAN B !

PFF... PENSES-TU !

GLLLL... GLLL...

GLLLL!

OLGA...OLGA... REPRENDS-TOI, MA CHÉRIE...

... ON... ON APPORTE À MANGER À CETTE BRUTE... NOUS VOILÀ DONC TIRÉS D'AFFAIRE...

GLLLL... GLLL...

CE POLICIER A L'AIR DE SAVOIR CE QU'IL FAIT... NOUS POUVONS ESPÉRER À NOUVEAU, MA PAUVRE GENEVIÈVE....

PRIONS, JEAN-BRICE... PRIONS...

J'AI FAIM AUSSI, M'MAN...

MON DIEU, UN PEU DE PATIENCE, CHARLES... IL FAUT SAVOIR PRENDRE UN PEU SUR SOI DANS L'ADVERSITÉ....

28.

VOILÀ...
VOILÀ...

SCRONTCH!

ÇA VOUS PLAÎT ?

CRUNCH...

SCROONTCH...

D'ACCORD, D'ACCORD...

SCROTCH!

CHARLES!

...

HEU !

...SI ÇA NE VOUS DÉRANGE PAS...

...J'EN PRENDRAIS BIEN AUSSI...ENFIN... SI VOUS EN AVEZ UN PEU EN RAB...

...

GRRRR... GRRR...

BIEN... EUH... ... TOUT COMPTE FAIT, ÇA PEUT ATTENDRE...

BON SANG ! COMMENT PEUX-TU AVOIR FAIM DANS UN MOMENT PAREIL, BRUNO !

...ÇA VA AD... IL Y EN AURA ASSEZ...

...

TOI... AU FOND DU CAR !...

29.

TSSSS... IL DOIT ÊTRE REPU ET SOMNOLENT À L'HEURE QU'IL EST... QU'EN PENSEZ-VOUS, PROFESSEUR ? CE CANARD DEVRAIT DÉJÀ AVOIR TENTÉ QUELQUE CHOSE...

MMM... JE CRAINS QUE LES COMPÉTENCES DE CE GARÇON NE SOIENT STRICTEMENT LIMITÉES À LA LIVRAISON DES HAMBURGERS... POUR L'ACTION, VOUS N'AVEZ PAS MISÉ SUR LE BON CHEVAL, COMMISSAIRE...

D'ABORD, C'EST UN CANARD... ET PUIS, JE N'AVAIS PAS D'AUTRE CHEVAL À MA DISPOSITION...

...EN TOUT CAS, JE SUIS FORMEL : *L'INSPECTEUR CANARDO* A SUR LUI TOUT CE QU'IL FAUT POUR NEUTRALISER LE MONSTRE...

JE N'AI AUCUNE CONFIANCE DANS VOS GADGETS, PROFESSEUR...

ET SI, COMME JE LE PRÉCONISAIS, NOUS AVIONS INTRODUIT DES SOPORIFIQUES DANS LA NOURRITURE, À L'HEURE QU'IL EST, *ADOLPHE TINCRÉ* RONFLERAIT COMME UN BÉBÉ...

MMMM... JE VOUS L'AI DIT, COMMISSAIRE : MONSIEUR TINCRÉ JOUIT D'UNE CONSTITUTION PHYSIQUE HORS DU COMMUN...LA DOSE DE CALMANTS QU'IL FAUDRAIT DISSIMULER DANS LA NOURRITURE POUR L'ENDORMIR EST ÉNORME... SI UN ENFANT PARTAGEAIT LA NOURRITURE AVEC LUI, IL POURRAIT EN MOURIR...

PROFESSEUR, SI VOTRE GADGET ÉTAIT UNE MEILLEURE IDÉE, IL Y A BELLE LURETTE QUE CETTE AFFAIRE SERAIT BOUCLÉE...

LA PUCE INTRODUITE DANS LE CORPS DE *TINCRÉ* EST COUPLÉE AVEC UN DÉTONATEUR MINIATURISÉ ET UNE CHARGE D'EXPLOSIF COMBINÉ AVEC UN SYSTÈME DE COMMANDE À DISTANCE... CE DISPOSITIF PERMET DE FAIRE LITTÉRALEMENT IMPLOSER LE SUJET SI CELUI-CI, UNE FOIS REMIS EN LIBERTÉ, REDEVIENT INCONTRÔLABLE ET DANGEREUX...

...ET VOUS LUI AVEZ MIS TOUT ÇA DANS LE GRAS DU BIDE...

ET OUI... ET IL SUFFIT D'APPUYER SUR LE BOUTON D'UNE PETITE TÉLÉCOMMANDE POUR CALMER DÉFINITIVEMENT *ADOLPHE TINCRÉ*...

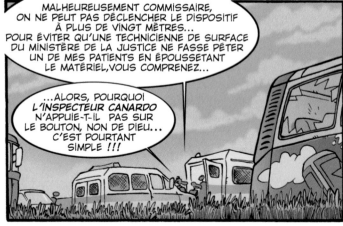

MALHEUREUSEMENT COMMISSAIRE, ON NE PEUT PAS DÉCLENCHER LE DISPOSITIF À PLUS DE VINGT MÈTRES... POUR ÉVITER QU'UNE TECHNICIENNE DE SURFACE DU MINISTÈRE DE LA JUSTICE NE FASSE PÉTER UN DE MES PATIENTS EN ÉPOUSSETANT LE MATÉRIEL, VOUS COMPRENEZ...

...ALORS, POURQUOI *L'INSPECTEUR CANARDO* N'APPUIE-T-IL PAS SUR LE BOUTON, NON DE DIEU... C'EST POURTANT SIMPLE !!!

NON !

31.

VOYEZ *CANARDO*... CE GARÇON EST PARVENU À ENTAMER UN DIALOGUE CONSTRUCTIF....

VOUS SAVEZ, *AD*...ON A BEAUCOUP EXAGÉRÉ AVEC CETTE HISTOIRE DES QUARANTE VIERGES QUI VOUS ATTENDENT LÀ-HAUT...

...ON RACONTE MÊME QU'ELLES NE LE SONT PAS TOUTES...

J'M'EN FOUS DES VIERGES...

AH, VOUS N'ÊTES PAS MUSULMAN, *AD*... AUTANT POUR MOI !

...

JE M'EN FOUS PARCE QUE J'SUIS TROP GROS... ALORS, J'PEUX PAS BAISER !...

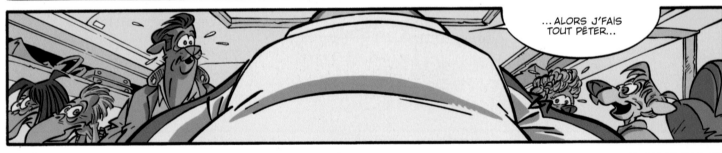

...ALORS J'FAIS TOUT PÊTER...

BOUM !...

BOUM ?

OUAIS...*BOUM* !!!

BANG!

34.

FICHTRE MERDE !!!... ENCORE UN...

Hiiiii!! HAAAH AUSECOURS! Hiiii!!

HI!HI!HI!..HI!HI!

OLGA, QU'EST-CE QUI TE PREND, VOYONS !

MMM... MES PILULES, GINETTE, VITE !...

...J'CROIS BIEN QUE J'AI LE PALPITANT QUI LÂCHE...

HI ! HI ! J'ME MARRE ! HI ! HI !

GARGOUILLIS

OLGA !!!

AAARGG! OOOOH!...

TIENS !... RESTE AVEC MOI ERNEST !...

CANARDO, PAR PITIÉ !!!

ON SE TIENT LA MAIN ET ON CHANTE LES ENFANTS...

..PLUUS PRÈS DE TOUAA, MON DIEU...PLUUUUS PRÈS DE TOUAAAAA!!!

35.

MAIS BON SANG, POURQUOI CET IMBÉCILE NE PASSE PAS AU PLAN B !...

...MON DIEU ! PLUUUS PRÈS DE TOUAAA

ÇA DEVIENT URGENT, *CANARDO*...

SOB !

J'AI UN PROBLÈME AVEC LE PLAN B...

IL DOIT AVOIR UN PROBLÈME AVEC LE PLAN B...

CE *CANARDO* EST UNE ERREUR DE CASTING AMBULANTE, VOILÀ TOUT...

♪ *...DE MON ÂME ENCORE CE CRI*...

SERGENT !!! PRÉPAREZ-VOUS À DONNER L'ASSAUT...

NON...C'EST DE LA FOLIE COMMISSAIRE... JE VOUS EN CONJURE : ATTENDEZ ENCORE....

J'AI FAIT TRIPLER LA DOSE DE SEL DANS LES MAC DO, *GARENNY*...

ET ALORS ?...

ALORS... ...LE MONSTRE N'A PRESQUE PAS BU... ...IL RESTE PLEIN DE BIÈRE....

PLUUS PRÈS DE TOUÂÂÂ, MON DIEU, PLU-US PRÈS DE TOUÂÂ !

MAMAN... J'AI SOIF !...

36.

CE GARS N'A PAS SOIF ! C'EST ÉTONNANT !

S'IL BOIT, IL VA PISSER... ET S'IL VA PISSER, IL VA SORTIR DU CAR... FORCÉMENT... ET ALORS : BOUM !... FORCÉMENT !...

OUAIS... FORCÉMENT !...

TU PARLES D'UN PLAN B...

TOUT ÇA !... C'EST À CAUSE DES JUIFS... ALORS BOUM !...

HO ! HO ! HO !

J'AI SOIF...

...ET EN PLUS, CE GARÇON EST ANTISÉMITE !...

PENSEZ-VOUS ! IL EST CON !... C'EST TOUT !...

...EXTRÊMEMENT CON !...

J'AI SOIF...

ET PUIS, SI J'MANGE TROP, C'EST À CAUSE DES JUIFS AUSSI...

BEN, IL FAUT L'ENTENDRE POUR LE CROIRE !...

J'AI TRÈS TRÈS SOIF, M'SIEUR...

CHARLES !!!!!

...

ÇA Y EST... DIEU SOIT LOUÉ, IL S'EST OUVERT UNE CANETTE !!!

PSSCHTT !!

37

39

... LES JUIFS...

... PUIS LES BELGES !

LA POLICE, ELLE VA TE TUER...

BURP !!!

AU FOND DU CAR !...

...

PSSCHTT !!

ÇA Y EST !!

LA POMPE EST ENFIN AMORCÉE !... ...ENFIN !!!...

?

GLOU ! GLOU ! GLOU !

...IL DOIT SE RENDRE COMPTE QU'IL A SOIF UN PEU PLUS TARD QUE LA MOYENNE DE LA POPULATION...

...CE GARS-LÀ EST TOUT SIMPLEMENT AU-DELÀ DU BIEN ET DU MAL...

?

...IL FAUT ESPÉRER QUE SON MÉTABOLISME SOIT PLUS VIF QUE SES NEURONES !

VOUS ÊTES PRÊTS, LES P'TITS GARS ??

NOON, COMMISSAIRE !... SI VOUS DONNEZ L'ASSAUT, C'EST LE CARNAGE ASSURÉ !

POLICE

POLICE

39.

OUAIS...IL A RAISON, *PATRON* : LE CARNAGE ET SON TRISTE CORTÈGE DE MISÈRE...

?

ON PEUT BIEN ATTENDRE ENCORE UN PEU !...

NOM DE DIEU ! ICI, C'EST ENCORE MOI QUI COMMANDE... *SERGENT*, JE VOUS SOMME DE...

PATRON, ON A LE RAPPORT SUR L'ENQUÊTE DE VOISINAGE QUI VIENT D'ARRIVER...

LISEZ-LE CHEF... C'EST TOUJOURS INSTRUCTIF !

MMM...ET BIEN *CAPORAL* ? QU'EST-CE QUE ÇA RACONTE ?

PRENEZ VOT' TEMPS, SURTOUT !

APPAREMMENT, DANS SON DOMAINE, CE GARS-LÀ EST CHAMPION DU MONDE...

J'VOUS DEMANDE PARDON ?

NOUS AVONS AFFAIRE À UN CON, *PATRON*... LE ROI DES CONS...

HUM...JE CONFIRME QUE *MONSIEUR TINCRÉ* N'EST PAS UN FORT EN MATH...

...LOIN S'EN FAUT!

...IL HABITE UNE CITÉ QUI NE RELÈVE PAS PRÉCISÉMENT DE L'URBANISME DE BON ALOI ET DANS SON QUARTIER, C'EST UNE VRAIE ÉPONGE QUI S'IMBIBE DE TOUTES LES CONNERIES COLPORTÉES À DROITE À GAUCHE.

CE QUI VEUT DIRE...

...QU'IL A, DANS LA TÊTE, PAS MOINS D'UNE DEMI-DOUZAINE DE MOTIVATIONS DIFFÉRENTES POUR TOUT FAIRE PÉTER À L'INTÉRIEUR DE CE BUS. UN RAMASSIS D'IDÉES FOIREUSES QUI RELÈVENT DU TERRORISME DE COMPTOIR, DU LIEU COMMUN TÉLÉVISUEL, ET DE L'ISLAMISME DE BAZAR.

DIABLE, IL N'Y A DONC AUCUNE ESPÈCE D'HUMANITÉ DANS CET ÊTRE FRUSTE ET DEMEURÉ...

AUCUNE, *COMMISSAIRE*... CE CON EST UN ABRUTI... OU LE CONTRAIRE... C'EST COMME VOUS VOULEZ...

...

SOB !

IL EN EST À COMBIEN ?

JE NE COMPTE PLUS...

24...

...C'EST DES PACKS DE 6 !

...M'SIEU, J'VOUDRAIS BIEN ALLER FAIRE PIPI AUSSI...

...

AU FOND DU CAR, TOI...

...SINON... BOUM !...

NOON!!! CHARLES... ICI... TOUT DE SUITE!...

...T'AS QU'À PISSER SUR TA MÈRE! HO...HO...HO ! HO ! HO ! HOHO!!!

HO!HO!HO!HO!

BIGRE, EN VOILÀ UN JOYEUX CARACTÈRE !....

...

PERSONNE NE BOUGE SINON CHARLES... BOUM ! COMPRIS ?

CHEF !!!... J'VOIS QUELQUE CHOSE... LE TERRORISTE !... IL DESCEND DU CAR !... J'L'AI DANS MA LUNETTE !...

EH BIEN, TIREZ CAPORAL !... QU'EST-CE QUE VOUS ATTENDEZ ?

L'AUTORISATION CHEF !

EH BIEN, VOUS L'AVEZ NOM DE DIEU !...

TROP TARD, LA CIBLE EST PASSÉE DERRIÈRE LE BUS...

PFFFF !...

GRRR !...

PSSSS...

CHEF...

OUI, CAPORAL.

...IL Y A LE CANARD QUI SORT MAINTENANT...

...JE TIRE...

NON CAPORAL... CELUI-LÀ, LAISSEZ-LE VIVRE !

FAUDRAIT SAVOIR...

♪

43

... LE GROS ET PUIS LE CANARD...

... JE LES VOIS PLUS CHEF...

... ILS ONT DISPARU DERRIÈRE LE CAR...

EH BIEN, NOUS VOILÀ UNE FOIS DE PLUS RÉDUITS À L'IMPUISSANCE...

C'EST PAS GÊNANT, CHEF...

... VRAIMENT...

CE CANARD EST TOTALEMENT INCONSCIENT !...

... IL VA AFFRONTER CETTE BRUTE COMME ÇA !... À MAIN NUE! J'AI TOUJOURS SU QU'IL N'ÉTAIT PAS NET TON COPAIN !...

NON!... RASSURE-TOI, BICHETTE!... IL A SUR LUI UN DISPOSITIF EXTRÊMEMENT SOPHISTIQUÉ... CETTE ZAPETTE MIRACLE VA NOUS FAIRE PÉTER CE GROS GAILLARD COMME UNE BAUDRUCHE !...

SOB!

TSSS!!!... MON PAUVRE AMI !...

C'EST UN PLAN B TRÈS ASTUCIEUX :

44.

... OBLIGER LA BRUTE À BOIRE POUR QU'IL DOIVE PISSER... UNE FOIS NOTRE GROS TORTIONNAIRE PARTI SE SOULAGER À BONNE DISTANCE DU CAR, CANARDO POURRA APPUYER SUR LE BOUTON EN TOUTE SÉCURITÉ !...

MERDE !...

...

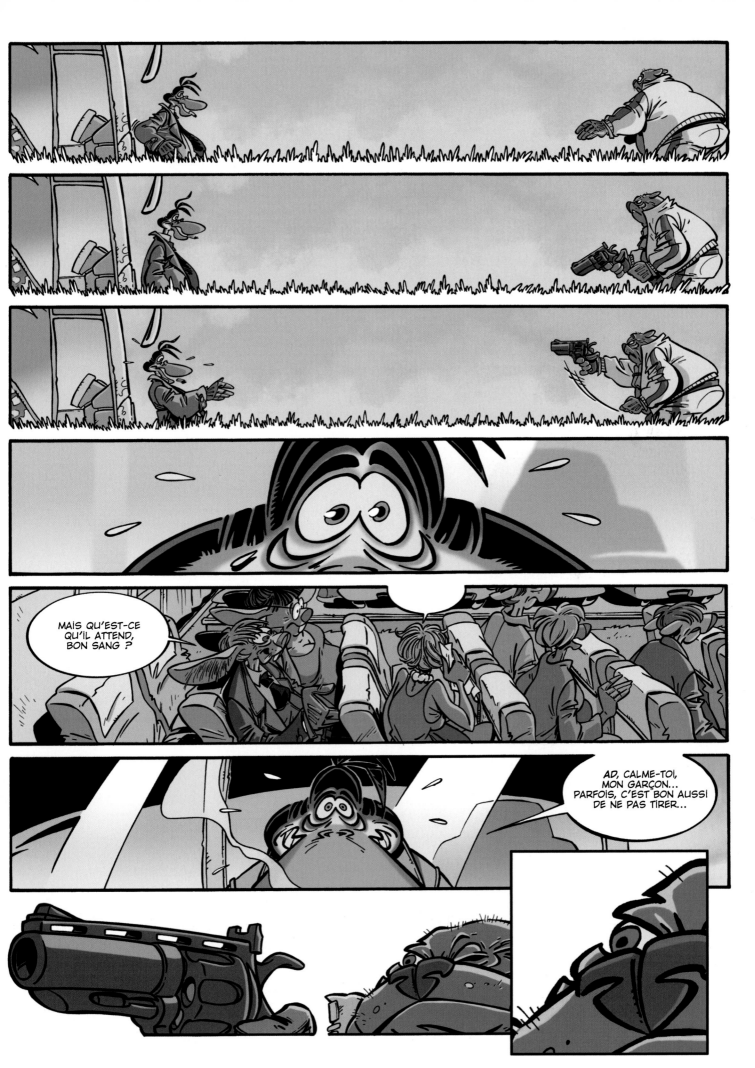

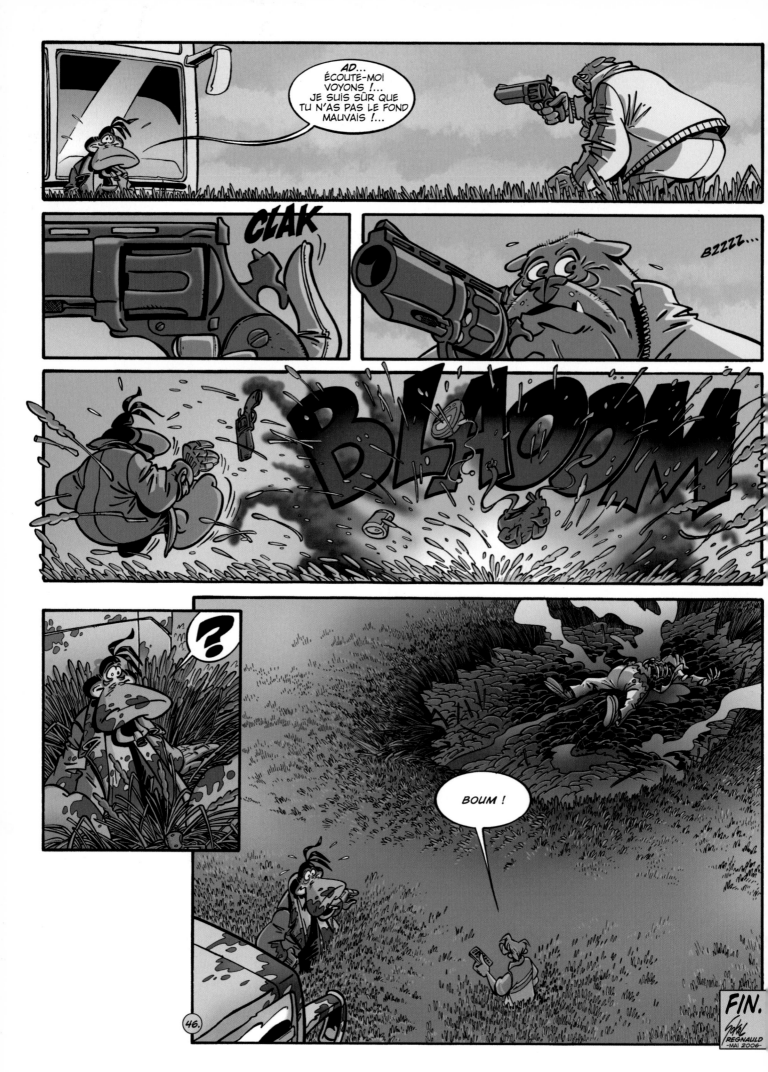